CW00661753

DISCOURS

PRONONCÉ AU MARIAGE

DE

M. René HUGOT-DERVILLE

ET DE

MLLE Pauline DE ROMANS

LE MARDI 22 JUILLET 1879

DANS L'ÉGLISE SAINT-JOSEPH D'ANGERS

Par M. l'Abbé GARDAIS

Chanoine honoraire, Supérieur de l'Externat Saint-Maurille.

~~~~~~~~~~~~~~~~

ANGERS

IMPRIMERIE LACHÈSE ET DOLBEAU

Chaussée Saint-Pierre, 13.

—

1879

DISCOURS

PRONONCÉ AU MARIAGE

DE

M. René HUGOT-DERVILLE

ET DE

Mlle Pauline DE ROMANS

LE MARDI 22 JUILLET 1879

DANS L'ÉGLISE SAINT-JOSEPH D'ANGERS

PAR M. L'ABBÉ GARDAIS

Chanoine honoraire, Supérieur de l'Externat Saint-Maurille.

~~~~~~~~~~~

ANGERS

IMPRIMERIE LACHÈSE ET DOLBEAU

Chaussée Saint-Pierre, 13.

—

1879

MES FRÈRES,

Les intérêts les plus sérieux et les plus uni-
versels sont en jeu dans le mariage, parce que
le mariage est le fondement de la famille, et
que la famille, élément premier et nécessaire de
la grande société du genre humain, est la source
des plus nobles sentiments, que Dieu, dans sa
bonté, ait donné à l'homme de goûter ici-bas.

Aussi, le Mariage, à cause de la famille,
a-t-il été constamment l'objet des sollicitudes
du ciel et de la terre. Chose digne de remarque,
c'est ici, dans cet acte de la vie humaine, à l'en-
trée de l'âge mûr, que la loi civile fait sa première apparition, en exigeant des garanties spé-
ciales, en posant des conditions rigoureuses, en
élevant le mariage à la dignité de contrat social,
en voulant qu'il soit l'œuvre de la liberté, de la

réflexion, du sentiment éclairé par la pensée ; et jamais la société ne confie à l'officier civil une délégation plus honorable que celle qui lui permet de présider à l'accomplissement de cet engagement solennel.

Mais au-dessus de la société, et bien plus qu'elle, Dieu intervient dans le mariage, et par la grâce sacramentelle, qu'il y attache, en fait non-seulement un acte plein de gravité et de noblesse, mais un acte saint, où Lui-même vient prendre part, en apportant la dot invisible des vertus, et en stipulant pour sa gloire et pour les intérêts religieux des époux.

Et voilà pourquoi nous voyons Notre-Seigneur Jésus-Christ, au début de sa mission, s'empresser de rendre au mariage l'inviolabilité de son institution première, qui s'était altérée avec le cours des siècles, et sanctionner à jamais ses trois bases essentielles, qui sont l'unité, l'indissolubilité et la sainteté, par la menace des peines les plus sévères, et aussi par la promesse des plus glorieux priviléges. Voilà pourquoi l'histoire nous montre, à la suite de Jésus-Christ, l'Église catholique, gardienne de l'autorité et de la doctrine du Maître, se distinguant toujours et partout par une extraordinaire énergie pour la défense des lois matrimoniales, et souffrant tout pour conserver intact ce dépôt spécial de la morale évangélique. Depuis le premier disciple du Sauveur, depuis saint Jean-Baptiste, martyr de la sainteté du mariage, les plus illustres Pontifes se sont dévoués à la même cause. L'Église a fait plus : elle a sacrifié en quelque sorte la gloire de l'unité chrétienne, elle a laissé déchirer son sein, elle a consenti à perdre des royaumes entiers plutôt que de reculer jamais, ni devant les passions souveraines, ni devant les hardiesses du libertinage tout-puissant. C'est que, encore une fois, parmi les institutions, que porte la terre, la première, la plus essentielle, c'est la famille, et que, pour la sauvegarder, la Religion et la société ne sauraient jamais réunir trop d'efforts ! C'est que, sans la sainteté du mariage, la famille se dissout et tombe en poussière ! C'est qu'enfin la violation de cette obligation sacrée est un de ces attentats, que les hommes, je ne dis pas religieux, mais seulement sensés, qui ont à cœur les mœurs publiques et l'honneur de la famille humaine, ne sauraient trop couvrir de leurs réprobations les plus énergiques !

Tel est le mariage, et telle est l'idée que nous devons en avoir. En deux mots, c'est un contrat civil de la plus haute importance sociale, qui stipule des avantages réciproques, règle des concessions mutuelles, et place les droits respectifs des époux sous la garantie des lois humaines.

*

mais c'est de plus et avant tout, d'après l'expression même de saint Paul, un grand Sacrement de la Religion chrétienne, qui, en imposant de grands devoirs, confère en même temps la grâce de les remplir, et qui sait adoucir et faire aimer le joug qu'il consacre, malgré toutes les vicissitudes de la vie.

Ces principes posés, les obligations, qui en découlent, sont faciles à indiquer, et il est rarement donné au ministère sacerdotal de les rappeler dans des circonstances plus rassurantes pour la Religion et pour la société.

En effet, nous vous connaissons déjà assez, Monsieur le Capitaine, pour savoir quels sentiments élevés vous ont guidé dans le choix d'une épouse, et quelles sûres garanties vous offrez à celle qui va recevoir vos serments. Pour lui rester à jamais uni d'esprit et de cœur, pour lui servir de guide, de conseil et d'exemple, pour être sa force et son appui, pour lui tenir lieu de tout ce qu'elle va quitter pour vous, c'est-à-dire de tout ce qu'elle a de plus cher au monde, vous n'aurez qu'à suivre les traditions, que vous avez trouvées dans votre berceau, au sein d'une famille catholique, auprès d'une mère et d'une grand'mère, dont l'unique ambition a été de vous transmettre, comme un patrimoine sacré, l'héritage d'honneur et de foi laissé par votre père ; vous

n'aurez qu'à rester fidèle aux leçons de ces
maîtres incomparables, que votre reconnaissance
me reprocherait de ne pas nommer aujourd'hui,
et dont la France, hélas, recommence à payer
les nouveaux services par une nouvelle ingrati-
tude. Si vous étiez tenté, à cause d'eux, de re-
gretter vos succès à Saint-Cyr et à l'École d'État-
major, parce qu'ils pèsent, comme ceux de tant
d'autres de vos condisciples, sur leur condam-
nation, nous, nous pouvons, sans restriction
aucune, les féliciter de former de tels élèves, et
vous féliciter vous-même grandement de votre
jeunesse laborieuse, de votre amour de l'étude,
de cette noble profession des armes, que la Religion bénit toujours avec une préférence mar-
quée, parce qu'aucune autre peut-être, quand la
foi, le talent et le courage s'y trouvent réunis,
ne sert plus glorieusement la double cause de
Dieu et de la Patrie.

Vis-à-vis de vous, chère Mademoiselle,
j'éprouve un véritable embarras, mon affection
bien connue pour votre famille m'imposant une
plus grande discrétion. Cependant je crois rester
dans les limites de la vérité, en vous assurant
que les obligations si graves et si nombreuses,
que vous allez contracter, ne doivent pas vous
inquiéter, par la raison qu'elles se résument
toutes dans le dévouement, et que le dévouement

est un besoin autant qu'un devoir pour un cœur
aimant, généreux, et vraiment chrétien comme
le vôtre, parce que la foi et la bonté reposent
chez vous sur une parfaite éducation religieuse,
que vous avez reçue au foyer domestique de la
tendre affection de votre père et de votre mère,
et que vous tenez aussi de cette digne et tant
regrettée Mme la baronne de Vezins, qui, en vous
donnant son nom, semble avoir voulu revivre
une seconde fois en sa petite-fille par ces belles
et grandes qualités, qui lui ont valu de si pro-
fonds et si durables attachements ! Formée à une
telle école, il ne vous sera point difficile d'ap-
porter à cette union, qui répond du reste com-
plétement à toutes les aspirations de votre cœur,
la ferme résolution de ne vous laisser jamais
vaincre en attentions délicates pour plaire sui-
vant le conseil de l'Apôtre, pour adoucir les
peines inévitables par ces aimables prévenances,
qui sont particulièrement attachées aux vertus
et au caractère de la compagne de l'homme. Et
cet amour du devoir et ces sentiments de foi, je
suis sûr encore que vous aurez soin de les entre-
tenir par la pratique constante de la piété, qui,
après avoir été la joie de l'enfance et l'ornement
de la jeunesse, demeure toute la vie la meilleure
source de toutes les consolations et la meilleure
sauvegarde de toutes les vertus.

Enfin je me garderai bien de ne pas vous féliciter l'un et l'autre d'un bonheur du plus grand
prix, que vous rencontrez également dans votre
union. C'est que dans cette communauté si étroite
et si intime, dans laquelle vous allez vivre, il n'y
aura rien qui ne soit partagé entre vous deux,
rien qui ne soit en accord parfait dans vos âmes,
aussi bien que dans vos cœurs. Avant tout, Dieu
sera le lien, qui vous réunira dans sa grâce ;
avant tout, votre fidélité envers lui sera le gage
de votre fidélité réciproque. Enfants soumis de
son Église, vous accomplirez tous ses comman-
dements ; ensemble vous vous agenouillerez pour
le bénir et pour l'invoquer ; ensemble vous vien-
drez à son temple et à ses solennités ; on vous
verra ensemble jusqu'à sa table sainte, ne for-
mant de la sorte qu'un cœur et qu'une âme, et
vous élevant jusqu'au plus parfait idéal, que
puisse réaliser ici-bas la famille chrétienne !

Ah ! pourquoi, mes Frères, n'en est-il pas
toujours ainsi ? Pourquoi, en pareille circons-
tance, faut-il quelquefois gémir sur le présent et
craindre pour l'avenir ? Mais quoi donc peut
assurer et faire vivre nos plus chères promesses
et nos plus chers sentiments comme la pratique
franche et loyale de notre sainte Religion ? Est-ce
qu'elle n'est pas la garantie supérieure de nos
plus grands intérêts et en particulier de l'union

des époux et de l'accomplissement de leurs devoirs ? Disons-le donc : heureux le jeune homme,
heureuse la jeune fille qui, en venant devant
Dieu donner à leur union une consécration solen-
nelle, confient à la Religion leurs serments
d'éternel amour, parce que la Religion seule est
assez forte pour porter, sans fléchir, le poids
d'un pareil engagement, et en garantir contre
toute atteinte l'inviolable fidélité !

Et maintenant, Mes Frères, il ne me reste plus
qu'à vous inviter à joindre vos vœux aux miens
dans une commune prière :

O glorieux et puissant saint Joseph, patron
de cette église et protecteur de la Sainte Famille,
daignez protéger aussi cette famille nouvelle,
que je vais bénir au milieu d'une assistance nom-
breuse et sympathique ! — Et vous, ô sainte et
auguste Marie, qui comprenez si bien les désirs
et les sentiments de l'amour maternel, écoutez
deux mères, qui vous demandent avec instance,
en ce moment, de couvrir leurs enfants de toutes
vos tendresses et de toutes vos bénédictions. —
Et vous, ô mon Dieu, ô Jésus, vous la source
vraie et unique de tout amour et de toute joie
durables, quand tout à l'heure vous allez des-
cendre parmi nous et renouveler sur l'autel le
sacrifice de la croix, daignez accorder à ces
jeunes époux de longs jours et des jours sans

nuage, avec ces joies pures et ces merveilleuses consolations, dont parle l'Écriture, et qui accompagnaient les alliances des Patriarches ; donnez-leur, non-seulement les biens et les bonheurs de la terre qui passent, mais aussi les biens et les félicités de l'éternité qui ne passent pas, afin qu'après cette vie ils puissent se retrouver encore et s'aimer à jamais en vous et par vous ! Ainsi soit-il.

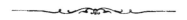

.

Imprimé en France
FROC032038060720
24426FR00009B/101